Con los ojos cerrados

Sueños de los niños indígenas

Libros del Alba

Con los ojos cerrados. Sueños de los niños indígenas
Artes de México, 2010
Primera edición

Edición: **Margarita de Orellana**
Asistencia editorial: **María Luisa Cárdenas**
Diseño: **Yarely Torres**
Fotografía:
Portada: **Marco Antonio Pacheco**
Interiores:
  Pablo Aguinaco: pp. 15, 32, 35.
  Lorenzo Armendáriz: pp. 12, 16, 18, 23.
  George O. Jackson: p. 40.
  Ruth D. Lechuga: pp. 11, 21, 36, 48.
  Rafael López Castro: p. 31.
  Marco Antonio Pacheco: pp. 6, 8, 24, 28, 39.
  Walter Reuter: p. 27, 45.
  Héctor Vicario: p. 43.

D.R. © Del texto: **Gabriela Olmos**, 2010.

D.R. © Artes de México, 2010
      Córdoba 69, Col. Roma, 06700, México D.F.
      Teléfonos 5525 5905, 5525 4036
      www.artesdemexico.com

Pasta dura ISBN: 978-607-461-070-3
Encuadernación rústica ISBN: 978-607-461-069-7

IMPRESO EN MÉXICO

Con los ojos cerrados

Sueños de los niños indígenas

Gabriela Olmos

ARTES DE MÉXICO

Índice

 **Mazatecas**

 **Huastecos**

 **Purépechas**

 **Mixes**

 **Tarahumaras**

 **Huicholes**

 **Coras**

 **Yaquis**

 **Tepehuas**

 **Seris**

 **Sobre los niños que sueñan en estas páginas**

Sueños mexicanos

México es un país en el que viven niños de más de cincuenta grupos indígenas. Todos ellos usan trajes diferentes, tienen costumbres muy distintas, y hasta hablan lenguas que no se parecen entre sí. Sin embargo, estos niños comparten algo que los hace muy semejantes: a todos les gusta escuchar las historias que les cuentan los abuelos para explicarles cómo era el mundo antes de que ellos nacieran. Y disfrutan tanto estos relatos, que hasta sueñan con ellos.

Así, entre sueños y cuentos, los niños indígenas construyen poco a poco su memoria que, aunque muchos no lo crean, está más cerca del corazón que de la cabeza. Y es que, gracias a ella, se tejen los lazos del cariño y de la generosidad. Se crean las comunidades y, con ello, la vida se llena de esperanzas. Por eso la memoria, como todas las cosas que están cerca del corazón, tiene la magia de ayudarnos a ser felices.

En este libro he reunido relatos y sueños de algunos niños indígenas, para que los conozcas mejor. Los distintos grupos están ordenados de acuerdo con la cantidad de personas que todavía habla cada lengua. Espero que estas páginas te permitan descubrir la fantasía de nuestros pueblos indígenas, que sin duda es una de las mejores cosas que tiene México.

Niña lacandona.

Nahuas

Los niños nahuas saben que hace muchísimos años el mundo era muy frío y los hombres comían la carne cruda, porque aún no conocían el fuego. Pero esto se terminó cuando el tlacuache descubrió el lugar en el que nacen las llamas, y encendió su colita para traer a los humanos ese regalo luminoso y cálido. Ahora los tlacuaches tienen el rabo pelón, porque desde entonces les quedó quemado. Y ahora los niños nahuas sueñan con encontrar el lugar en el que nace el fuego, para traer como regalo algunas flores incandescentes.

Mayas

Los niños mayas saben que los seres humanos fuimos hechos de maíz. Que las mazorcas nos dan la fortaleza para trabajar, y que de su generosidad aprendemos a ser agradecidos. Pero no todo es tan lindo porque, cuando hace mucho calor, los niños mayas tienen una pesadilla: que su cuerpo de maíz se vuelve de tortilla.

Zapotecas

También llamados *binizaa*

Los niños zapotecas saben que hace muchísimos años la tortuga era una criatura tan hermosa que todos querían obsequiarla como ofrenda. Hasta que un día la tortuga le pidió a san Vicente que le hiciera el rostro chato y las patas torpes. Y que la volviera feísima, para que ya nadie quisiera ofrendarla. San Vicente cumplió este milagro, así que ya nadie molesta a la tortuga. Y por eso, cuando recuerdan esta historia, los niños zapotecas sueñan con tener el poder de convertir lo bonito en feo, y lo feo… en más feo.

Mixtecas

También llamados *ñuu sávi*

Los niños mixtecas saben que en el principio de los tiempos no había humanos. Sólo existía un árbol gigante: la ceiba. Pero un día, del tronco de este inmenso árbol creció un capullo que en un remolino maravilloso se convirtió en la primera mujer mixteca. Luego en las hojas creció otro capullo del que nació el primer hombre. Y con los hijos de ambos se poblaron la sierra y la costa. Por eso los niños mixtecas quieren a la ceiba como si fuera su abuelita. Y por eso, cuando tienen miedo, sueñan que duermen acurrucados en sus ramas y que la ceiba los protege con su abrazo generoso.

Otomíes

También llamados *hñähñü*

Los niños otomíes han escuchado muchas cosas de los animales. Ellos saben, por ejemplo, que hace muchos años las ardillas eran personas, como nosotros. Pero como hacían muchas cosas malas, los dioses las tuvieron que castigar y las condenaron a vivir como animales entre los árboles. Desde entonces las ardillas tienen las manos siempre juntas para rezar. Y los niños otomíes, cuando piensan en ellas, sueñan con que sería más justo volverlas a su estado natural y convertir en ardillas a las viejitas a las que les gusta tanto rezar y rezar.

Totonacas

También llamados *tachihuiin*

Los niños totonacas saben que hace muchísimo tiempo, cuando aún no había día ni noche, la lagartija caminaba por el campo y se encontró una piedra tan caliente que hasta le quemó la panza. Intrigada por aquella roca enigmática, la lagartija llamó al resto de los animales, y todos comenzaron a golpearla y arañarla, pero no consiguieron descubrir su misterio. Ya habían abandonado la tarea, cuando la paloma picoteó la roca, que al partirse en dos dejó escapar al disco luminoso que se convirtió en el sol. Los niños totonacas lo respetan y admiran su caminar por el cielo. Y, sin embargo, a veces sueñan con descubrir un nuevo sol entre los cientos de piedras ardientes que encuentran cada día.

Tzotziles

También llamados *batsil winik*

Los niños tzotziles saben que hace muchos años la luna vivía entre nosotros. Y que entonces, subida en un árbol, enseñó a las mujeres del pueblo a tejer. Luego partió para vivir en el firmamento, pero nos dejó su telar y su huipil. Y por eso los niños tzotziles sueñan que la luna les habla, que les dicta los secretos del tejido y de otros enigmas guardados en su sabiduría antigua.

Tzeltales

También llamados _winik atel_

Los niños tzeltales a veces les tienen miedo a las fieras. Y es que recuerdan la historia de aquel tigre que se robaba los animales del pueblo. Dicen que entonces todos los hombres se reunieron a rezar y que después organizaron una cacería para atrapar al ladrón. Con una escopeta lo hirieron, pero mientras agonizaba sucedió la metamorfosis: la piel del tigre se convertía en un cotón de lana, y la cola, en una faja de las que se usan como cinturón. Y así la fiera poco a poco se transformaba en un vecino malintencionado con el que los niños tzeltales muchas veces suelen soñar.

Mazahuas

También llamados *jñatio*

Los niños mazahuas quieren mucho a los venados. Y es que sus antepasados tenían cuerpo de humano, pero cabeza de venado, y siempre los acechaban los coyotes, que entonces no sabían aullar. Pero llegó un día en que los hombres-venado se cansaron del miedo y se organizaron en tribus para matar al coyote. Y cuando lo lograron lo enterraron en el monte para escarmiento de los de su raza, que desde entonces aúllan por el dolor y la vergüenza.

Los niños mazahuas ya no tienen cabezas de venado, pero aún recuerdan con cariño a este animal. Y por eso lo llevan bordado en sus trajes. Y también por eso, cuando tienen miedo, sueñan que el venado se apodera de su cuerpo, y que así pueden luchar contra todos los coyotes del mundo.

Mazatecas

También llamados *ha shuta enima*

Los niños mazatecas saben que en sus pueblos viven muchos brujos y curanderos. Y casi nunca les tienen miedo. Sólo le temen al pájaro brujo que canta en la oreja derecha de los que tendrán mucha suerte y en la oreja izquierda de los que acabarán mal. Dicen que los presagios del pájaro brujo siempre se cumplen, pero los niños mazatecas a veces sueñan con usar toda su astucia para engañar al destino.

Huastecos

También llamados *téenek*

Los niños huastecos han escuchado que antes a los seres humanos les nacía una mazorca de maíz en la barba. Pero un buen día uno de aquellos hombres se la arrancó. Enfurecidos, los dioses decidieron someterlos a los más terroríficos castigos. Y el dios más temible se arrancó los ojos, los arrojó muy lejos y condenó a los huastecos a no volver sin ellos. Los niños saben que los danzantes encontraron uno de estos ojos, y que lo usan en sus trajes a manera de espejo. Y sueñan con el día en que hallarán el otro ojo perdido en el campo. Tal vez para entonces habrá florecido de él un enigmático árbol de miradas.

Purépechas

También llamados tarascos

Los niños purépechas han escuchado que cada 1 y 2 de noviembre los muertos se convierten en mariposas para venir de visita al mundo de los vivos. Por eso cada año les ponen altares con regalos y les celebran una fiesta, como si quisieran darles un recibimiento amoroso. Y por eso los niños purépechas a veces sueñan con atrapar esas mariposas con una red de hilos sutiles. Así podrán tener cerca a las personas que han querido, y podrán evitar que existan los cementerios.

Mixes

También llamados *ayüük*

Los niños mixes, como muchos otros niños del mundo, saben que en tiempos remotos hubo un gran diluvio que acabó con todos los seres que entonces poblaban la tierra. Sólo se salvaron la familia de un sembrador y algunos animales que navegaban en un cayuco de cedro con tapa. Cuando la tierra se secó el sembrador mandó a un zopilote a traer noticias. Pero el zopilote se quedó comiendo carroña. Luego el sembrador envió a un perico para que indagara lo sucedido. Y el perico regresó con muchas cosas que contar.

Los niños mixes entienden que, desde entonces, los zopilotes rondan alrededor de los muertos para alimentarse y los pericos no dejan de hablar. Y les parece bien que el mundo sea así, pero a veces sueñan con lo divertido que resultaría que, por algún tiempo, las cosas fuesen al revés.

Tarahumaras

También llamados *rarámuris*

Los niños tarahumaras saben que, durante las fiestas y cuando están dormidos, las almas se les salen del cuerpo para recorrer los lugares más maravillosos. Y por eso sueñan con el día en que sus pies corran a toda velocidad, para conocer con su cuerpo los sitios increíbles que sus almas han visitado.

Huicholes

También llamados *wixárika*

Los niños huicholes ven que sus padres, cada año, se van en peregrinación rumbo al Desierto del Amanecer. Ellos saben que, en el camino, sus padres buscarán cazar al venado, que se esconde en la oscuridad de la noche y que se convierte en peyote para confundirlos. Y por eso a veces sueñan con adquirir ellos mismos el poder de la transformación, para lograr ocultarse de sus padres cuando están enojados, y para descubrir cómo se ve la vida con los ojos de la naturaleza.

Coras

También llamados *nayeeri*

Los niños coras saben que un día los dioses tejieron el mundo bailando el mitote. Por eso cada año celebran la vida repitiendo esa danza maravillosa. Por eso tejen sus *chanakas*, que son como mundos completos con una geografía diminuta. Y por eso a veces sueñan que caminan por toda la tierra, para descubrir los pasos secretos de aquella mágica coreografía.

Yaquis

También llamados *yoeme*

Los niños yaquis saben que, antes de que hubieran humanos en la tierra, sólo existían unas criaturas pequeñas que, como no podían ver la luz, se convirtieron en hormigas y quedaron condenadas a vivir en la oscuridad. Por eso cuando los niños yaquis nacen, sus padres entierran su cordón umbilical cerca de un hormiguero, como si quisieran familiarizarlos con estos seres diminutos. Y por eso, cuando duermen, sueñan con explorar esos mundos subterráneos, como si quisieran descubrir la forma que tenía la tierra antes de que los humanos estuviéramos ahí.

Tepehuas

También llamados *hamasipini*

Los niños tepehuas saben que en sus tierras vivía el Niño Maíz y que unos hombres envidiosos habían matado a su padre y escondido sus huesos en la montaña. Pero un día el Niño Maíz se topó con su esqueleto, reconstruyó a su papá y lo llevó a casa cargado en su espalda, con la única condición de que no abriera los ojos. ¡Lástima! El hombre no resistió la curiosidad y desobedeció. Como castigo, el Niño Maíz le dio un pañuelo para que espantara las moscas en el camino. Y poco a poco sucedió la transformación: el adulto se convirtió en venado, y el pañuelo, en la cola con la que los animales se espantan las moscas.

Por eso, cuando los niños tepehuas se atreven a desobedecer, sueñan que se convierten en venados o en otros animales del campo.

Seris

También llamados *comcaac*

Los niños seris conocen la voz de los espíritus. Ellos saben que si al tejer sus cestas escuchan un chirrido, es porque algún ser maligno se ha metido entre las fibras. Pero no es tan grave: sólo tienen que cantar para expulsarlo de sus canastas. Los niños seris saben que en su voz tienen la magia de gobernar a los espíritus. Y por eso sueñan con cantar para cambiar el mundo.

Sobre los niños que sueñan en estas páginas

Nahuas: Los niños nahuas forman parte del grupo étnico más numeroso de México. Habitan gran parte de los estados de la República. Casi 1 500 000 personas hablan náhuatl hoy día.

Mayas: Los niños mayas son los descendientes de los grupos prehispánicos que llevaban ese nombre. Habitan los estados de Chiapas, Tabasco, Campeche, Yucatán y Quintana Roo, así como los territorios de Guatemala, Belice, Honduras y parte de El Salvador. Cerca de 800 000 personas hablan maya en la actualidad.

Zapotecas: Los niños zapotecas habitan en varios municipios oaxaqueños y en regiones de los estados de Veracruz, Guerrero y Chiapas. Se conocen entre sí como *binizaa*. Su lengua es el zapoteco, aun cuando existen 15 variantes del idioma. Actualmente, más de 400 000 personas hablan alguna de las distintas lenguas zapotecas.

Mixtecas: Los niños mixtecas viven en el norte y oeste de Oaxaca, al igual que en las zonas colindantes de Guerrero y Puebla. Los mixtecas dividen su territorio en tres regiones: la Mixteca Alta, Baja y de la Costa. Se llaman a sí mismos *ñuu sávi*. Los hablantes de mixteco ascienden a 400 000 personas aproximadamente.

Otomíes: Los niños otomíes viven en el centro del estado de Hidalgo y el noroeste del Estado de México. También habitan regiones de Guanajuato, Michoacán, Morelos, Querétaro, Puebla, Tlaxcala y Veracruz. Ellos prefieren que se les llame *hñähñü*, que significa "gente de aquí". Más de 200 000 personas hablan otomí en la actualidad.

Totonacas: Los niños totonacas viven en la sierra norte de Puebla y en la zona centro y norte de Veracruz, aunque algunos también habitan en la ciudad de México y el Estado de México. Prefieren que se les llame *tachihuiin*. Más de 200 000 personas hablan la lengua totonaca en la actualidad.

Tzotziles: Los niños tzotziles viven en la zona de los Altos, al centro y noroeste de Chiapas, y en los límites con Tabasco. Colindan con los tzeltales, con quienes comparten rasgos culturales y lingüísticos. Se conocen entre sí como *batsil winik*. Más de 200 000 personas hablan tzotzil hoy día.

Tzeltales: Los niños tzeltales viven en el centro y norte de Chiapas, en la región que se encuentra entre los ríos Grijalva y Usumacinta. Los tzeltales también son conocidos como los zendales, que significa "los que vienen de lado". Se llaman a sí mismos *winik atel*. Más de 200 000 personas hablan tzeltal hoy día.

Mazahuas: Los niños mazahuas viven en el norte, centro y oeste del Estado de México, así como en la ciudad de México y Michoacán. Ellos mismos se nombran *jñatio*.

Mazatecas: Los niños mazatecas habitan la región noroeste de Oaxaca, Puebla, ciudad de México, el Estado de México y en algunas comunidades en Veracruz. Aquellos que viven en la región de Tuxtepec se llaman *ha shuta enima*. Más de 200 000 personas continúan hablando la lengua mazateca hoy día.

Huastecos: Los niños huastecos habitan la zona Huasteca, que abarca el este de San Luis Potosí, el noroeste de Veracruz y el sur de Tamaulipas. Se llaman a sí mismos *téenek.*

Purépechas: Los niños purépechas habitan la zona lacustre y serrana del noroeste de Michoacán. También se les llama tarascos, nombre despectivo empleado durante el Virreinato. Más de 100 000 personas continúan hablando su lengua hoy día.

Mixes: Los niños mixes habitan en el nudo montañoso del noreste de Oaxaca. Este grupo ha jugado un papel importante en la historia del país. Se denominan a sí mismos *ayüük*. En la actualidad cerca de 100 000 personas comparten la lengua mixe.

Tarahumaras: Los niños tarahumaras viven en la región montañosa del suroeste de Chihuahua, conocida como la Alta Tarahumara. También habitan en zonas de Durango, Sinaloa y Sonora. Los tarahumaras, "los de los pies ligeros", también son conocidos como *rarámuris*, nombre con el que ellos se identifican. En la actualidad cerca de 75 000 personas hablan la lengua tarahumara.

Huicholes: Los niños huicholes viven en una zona que comprende los estados de Jalisco, Nayarit, Zacatecas y Durango. Se conocen entre sí como *wixárika*. Sus comunidades más importantes son Tuxpan de Bolaños, San Sebastián Teponahuatla, Santa Catarina Cuexcomatitlán, San Andrés Cohamiata y Guadalupe Ocotlán. Comparten la lengua huichola con aproximadamente 35 000 personas.

Coras: Los niños coras viven en Nayarit, en la sierra Madre Occidental, que limita con el estado de Jalisco. Ellos se denominan *nayeeri* y llaman a su lengua *náayarite*, de donde proviene el nombre del estado. Alrededor de 17 000 personas hablan la lengua cora en la actualidad.

Yaquis: Los niños yaquis viven en el sur del estado de Sonora. Sus localidades generalmente se encuentran cerca del río Yaqui. Se llaman a sí mismos *yoeme*. También existen comunidades yaquis en Estados Unidos. Más de 14 000 personas hablan yaqui en la actualidad.

Tepehuas: Los niños tepehuas forman parte de un grupo etnolingüístico que habita la sierra oriente de Hidalgo, en bocasierras y sierras del norte de Puebla y en Veracruz. Se llaman a sí mismos *hamasipini*. Más de 8 000 personas comparten esta lengua hoy día.

Seris: Los niños seris habitan la isla Tiburón y una pequeña franja desértica en la costa sonorense. Por muchos años, los seris fueron un grupo nómada y actualmente son semisedentarios. Se conocen entre sí como *comcaac*. Hoy día, los niños seris comparten su lengua con 600 personas aproximadamente. Son uno de los grupos indígenas menos numerosos de nuestro país.

Familia chatina.

Con los ojos cerrados. Sueños de los niños indígenas
se imprimió en los talleres de Reproducciones
Fotomecánicas, S.A. de C.V., con domicilio en
Democracias # 116, colonia San Miguel Amantla,
Azcapotzalco, C.P. 02700, México D.F.,
en el mes de diciembre de 2010.